桂图登字：20-2021-002

图书在版编目（CIP）数据

神奇的混凝土 /（日）细田晓著；（日）小轮濑护安绘；周龙梅译．— 南宁：接力出版社，2023.4
（大科学之友经典科普书）
ISBN 978-7-5448-8090-9

Ⅰ．①神⋯ Ⅱ．①细⋯②小⋯③周⋯ Ⅲ．①儿童故事-图画故事-日本-现代 Ⅳ．① I313.85

中国国家版本馆 CIP 数据核字（2023）第 042900 号

责任编辑：陈潇潇　　美术编辑：卢　强
责任校对：杨少坤　　责任监印：刘宝琪　　版权联络：闫安琪
社长：黄　俭　　总编辑：白　冰
出版发行：接力出版社　社址：广西南宁市园湖南路9号　邮编：530022
电话：010-65546561（发行部）　传真：010-65545210（发行部）
http://www.jielibj.com　E-mail:jieli@jielibook.com
经销：新华书店　印制：北京博海升彩色印刷有限公司
开本：787毫米×1092毫米　1/16　印张：3.25　字数：40千字
版次：2023年4月第1版　印次：2023年4月第1次印刷
印数：00 001—10 000册　定价：35.00元

书中地图系原文插附地图
审图号：GS（2023）668号

大科学之友
经典科普书

神奇的混凝土

SHENQI DE HUNNINGTU

[日] 细田晓 著 [日] 小轮濑护安 绘
周龙梅 译

接力出版社
Publishing House

走出家门，去找一找身边的混凝土吧。

很多建筑都是用混凝土建成的。河上的桥、电线杆、道路的铺装，仔细观察，会发现有很多混凝土。铁路、高速公路等也大量使用混凝土建的高架桥。

混凝土似乎在支撑着我们的生活。

可混凝土到底是什么呢？

混凝土是人工石材，它的优点是可以被做成任何形状。

我们来看一看混凝土内部的样子吧。混凝土内部埋着很多大大小小、形形色色的小石粒。这些石粒叫骨料，从内部支撑着混凝土。灰色的部分是将水泥和水等材料搅拌在一起形成的水泥浆，发挥着将骨料黏合在一起的“胶水”作用。

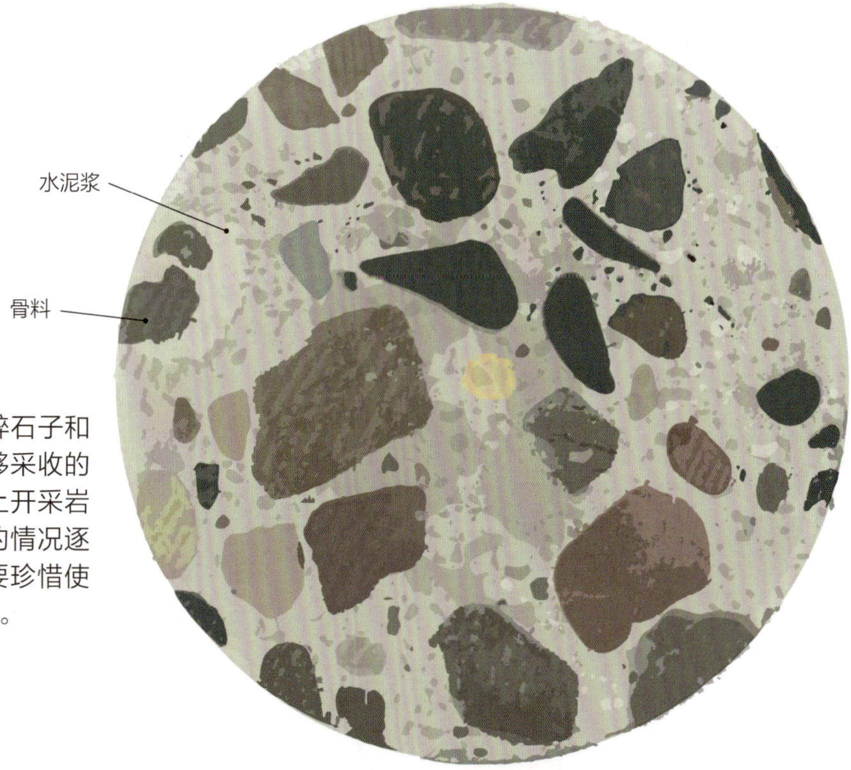

过去多半是使用河里的碎石子和沙子做骨料，但河里能够采收的量越来越少，所以从山上开采岩石，粉碎后做骨料使用的情况逐渐增多。现在比以前更要珍惜使用河流和山里的有限资源。

3 各种材料分别称好重量后，进入待料仓，然后用搅拌机搅拌。

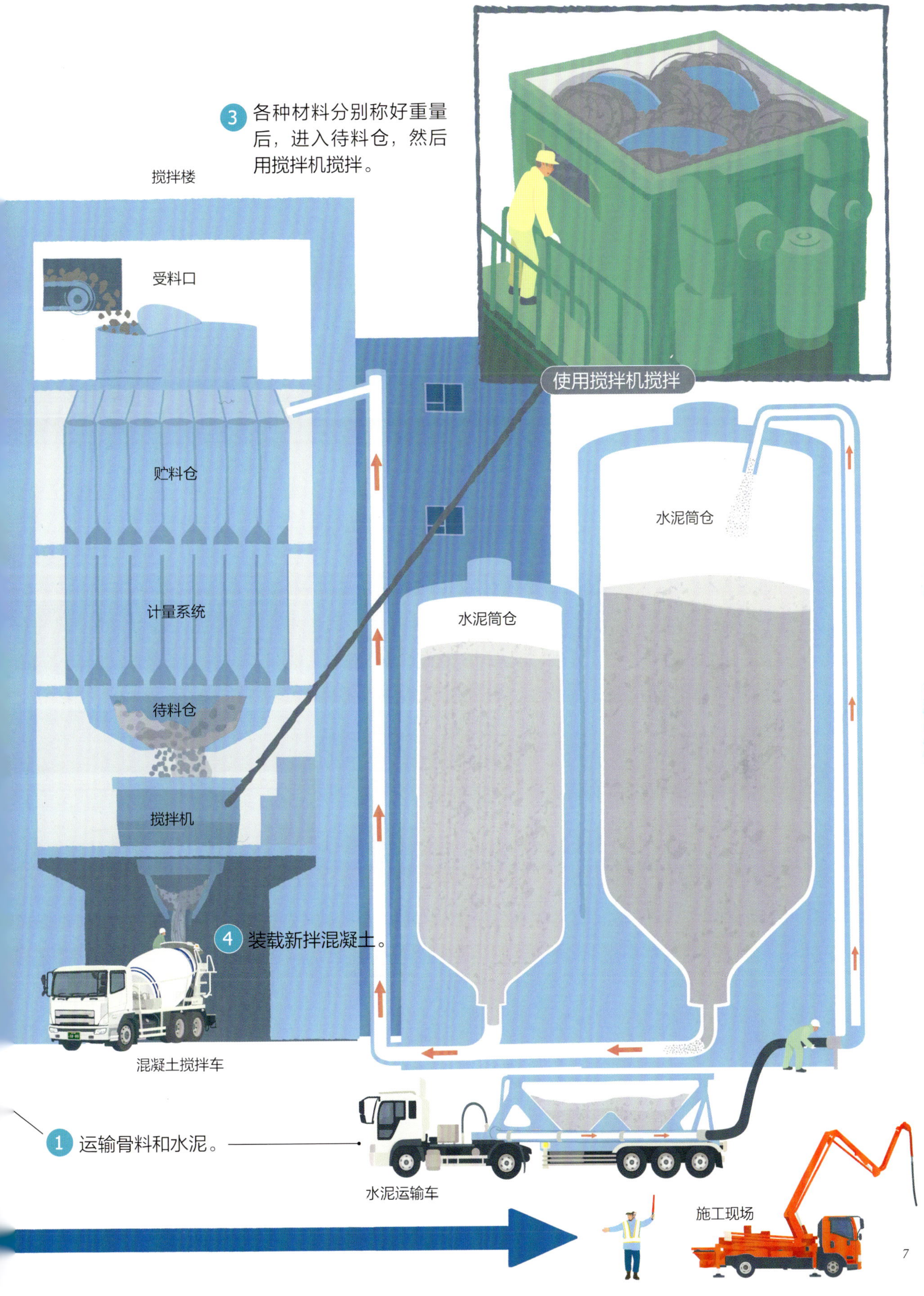

4 装载新拌混凝土。

1 运输骨料和水泥。

到达施工现场之后，混凝土搅拌车与泵车对接，新拌混凝土被泵送到高处和远处。浇注到模板里之后，用一种叫振动器的机械振捣，排除里面多余的空气，使混凝土变得更加密实，各个角落都不能放过。

然后，放置一段时间，混凝土会开始凝固，但是凝固时需要水，所以关键是不能让水分流失。这一作业叫作“养护”，有一种用保鲜膜把装食品的盘子严严实实罩住的感觉。如果不这样做，混凝土干燥后会出现裂纹，不耐久。

1 与泵车对接。

2 浇注到模板里。
3 振捣。
振动器
4 养护（也有在上面铺席子的情况）。
伸着长臂的车才是泵车哟！

水泥与水凝固的样子

以这张图的比例来看，最小的水泥颗粒也会变成这个画面无法容纳的大小。

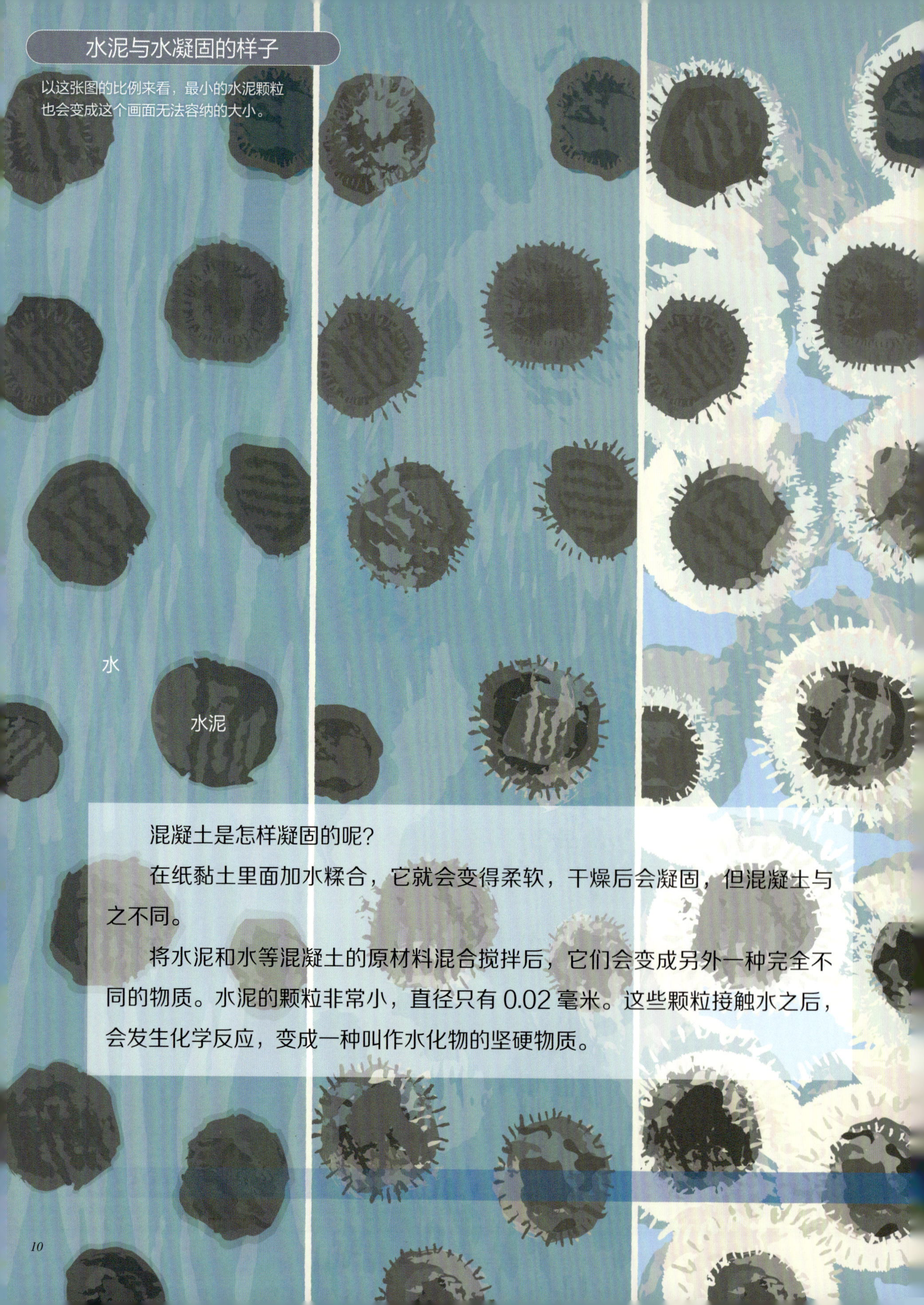

混凝土是怎样凝固的呢？

在纸黏土里面加水糅合，它就会变得柔软，干燥后会凝固，但混凝土与之不同。

将水泥和水等混凝土的原材料混合搅拌后，它们会变成另外一种完全不同的物质。水泥的颗粒非常小，直径只有 0.02 毫米。这些颗粒接触水之后，会发生化学反应，变成一种叫作水化物的坚硬物质。

这种化学反应持续下去，水泥颗粒周围生成的水化物，就像手拉手一样，彼此连接在一起，不断占据最初水所在的位置。就这样逐渐凝固，水化物慢慢包围骨料，最后变成混凝土。

水泥与水搅拌混合后，立刻就会发生化学反应，由于反应会持续几个小时，所以这期间可以把混凝土运往施工现场或浇注到模板里。

我们在街上经常可以看到混凝土搅拌车，你发现车上的圆筒在慢慢地旋转了吗？这是在将开始牵手的水化物分开，防止新拌混凝土凝固。

这种化学反应不需要高温，也不需要高压，在人们平常的生活环境里就可以完成，不需要在特殊的场地进行。所以任何地方都可以使用混凝土。

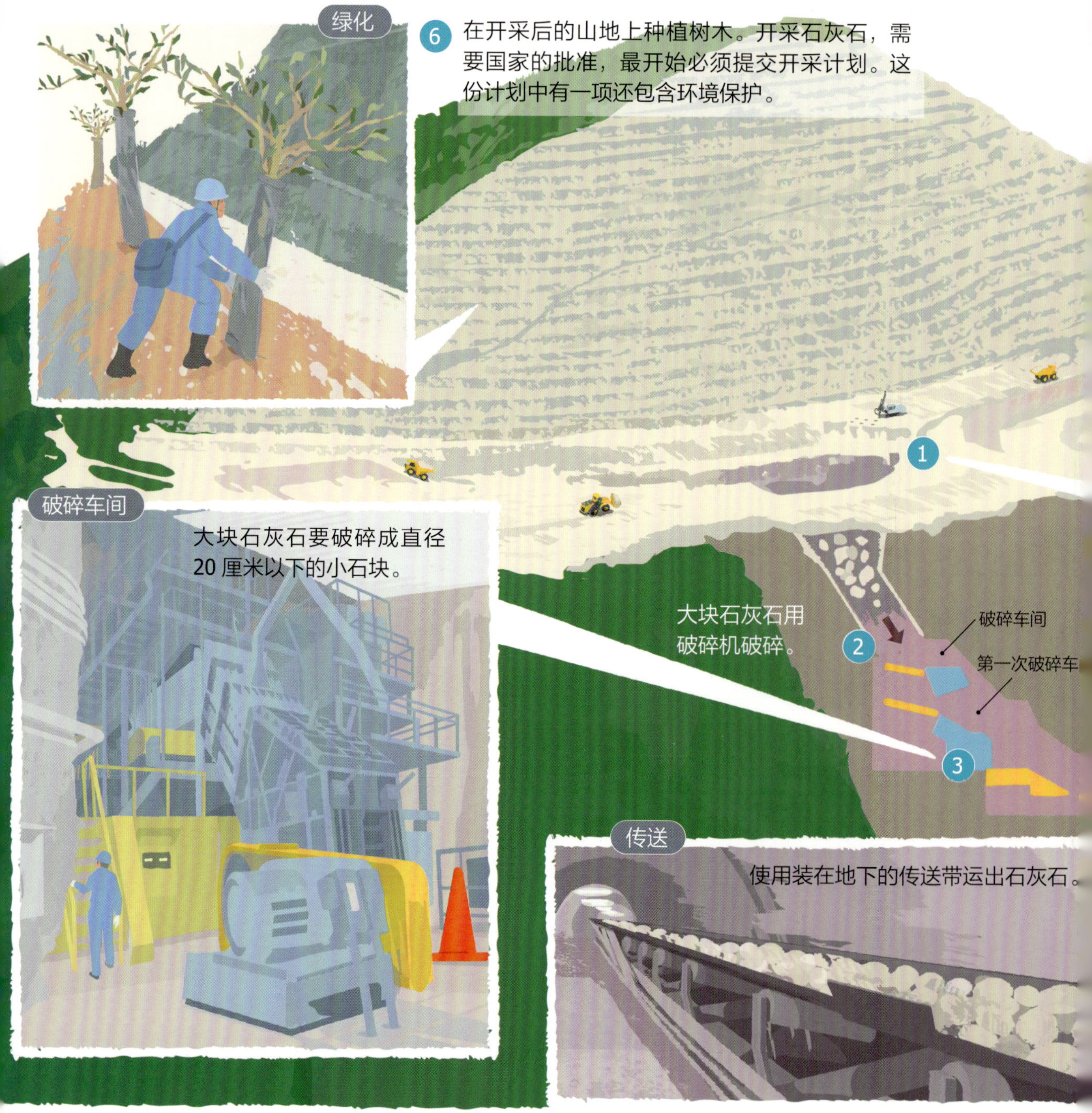

水泥是制造混凝土的重要材料。水泥的主要原料是石灰石。石灰石原本是堆积在海底的古老化石，由珊瑚等生物演变而来，由于地壳板块的移动而被托起，变成了石灰石山。

除了石灰石，水泥的原料还包括燃烧煤炭的火力发电站排出的灰烬，以及下水道垃圾（即混合有我们的粪便和尿液的下水道污泥）烧成的灰烬。石灰石与这些灰烬混合在一起，在一个很大的石灰窑中煅烧，制成水泥。

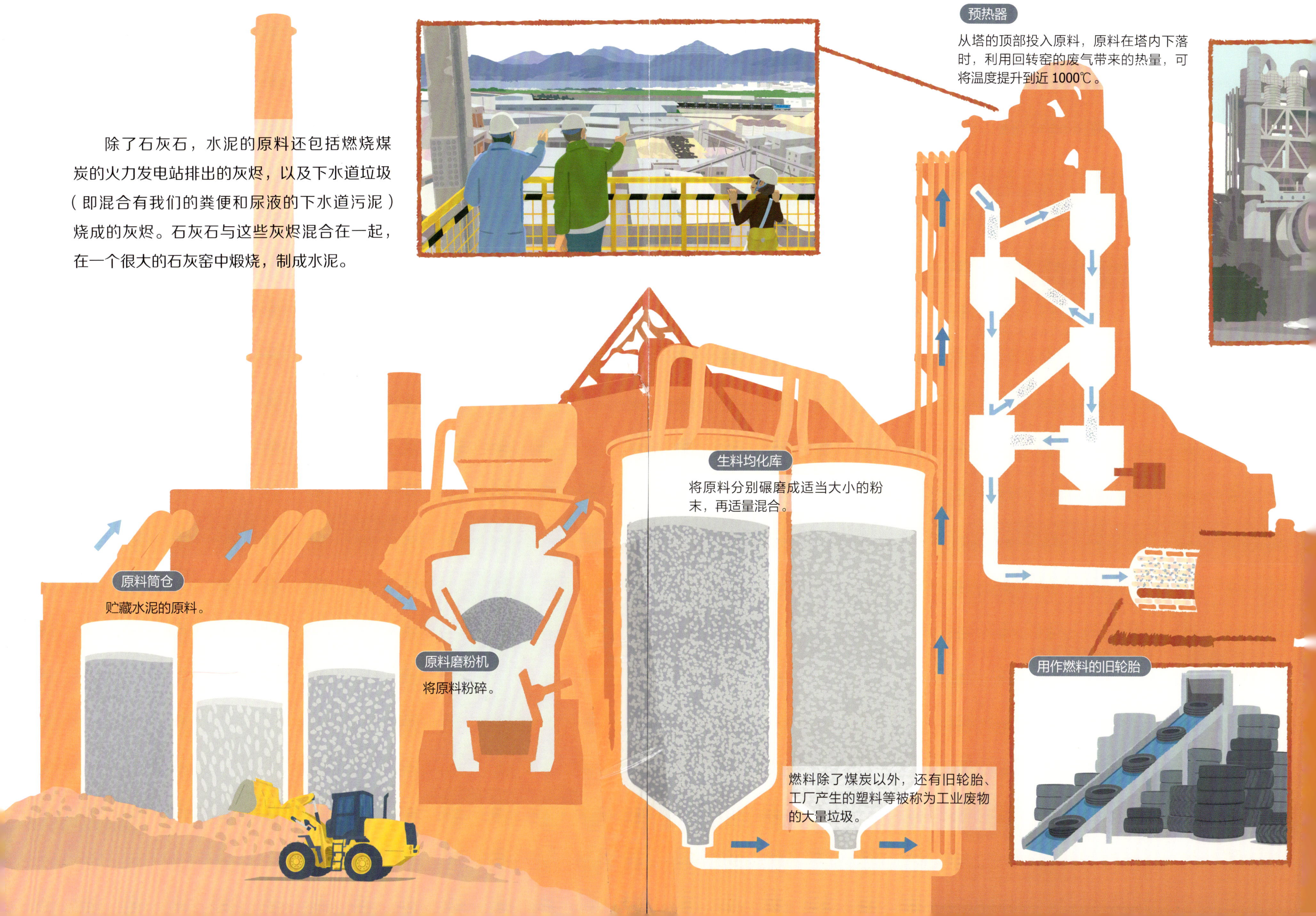

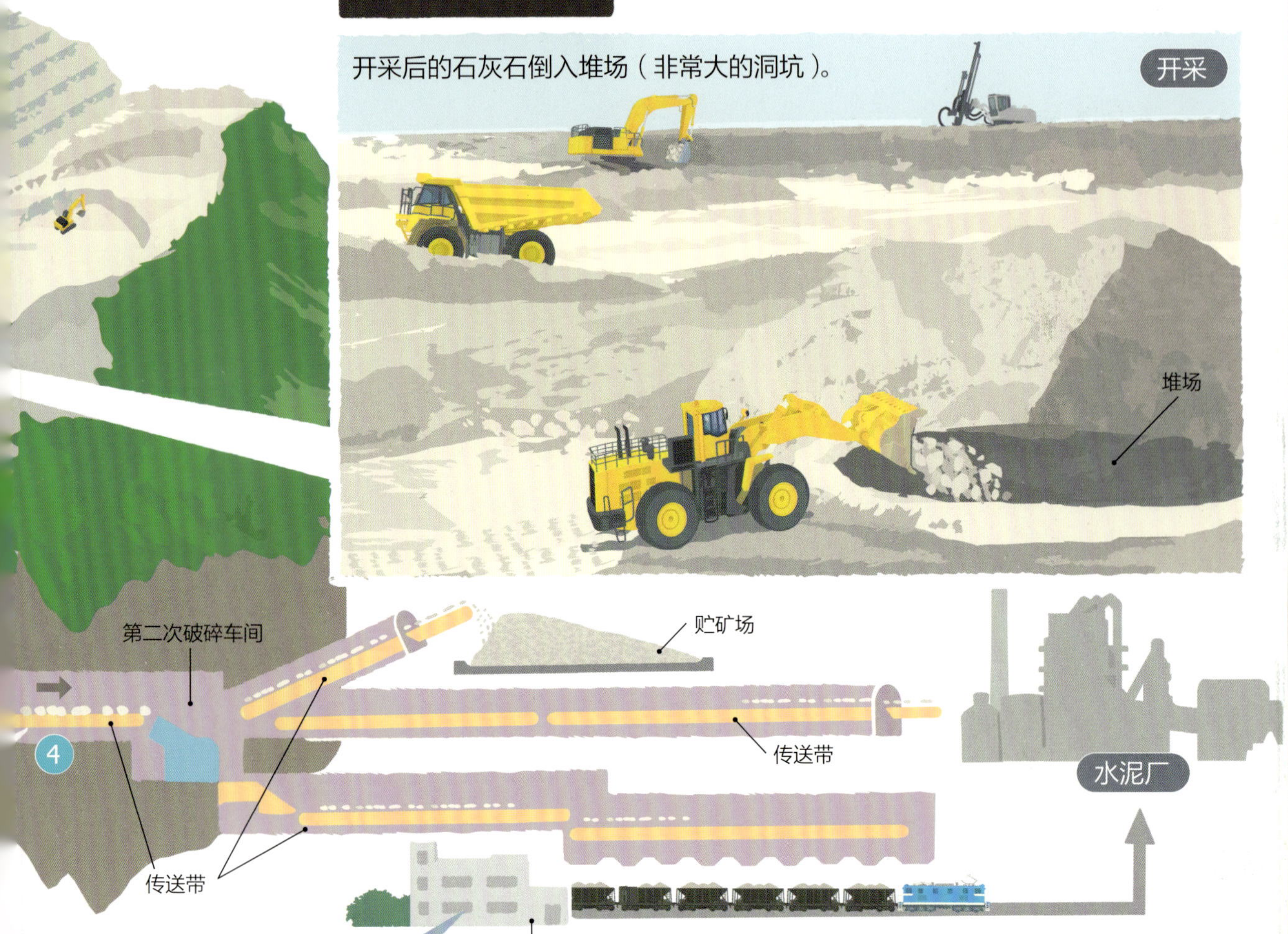

5 使用传送带、货车和轮船等将石灰石运往水泥厂、贮矿场。

破碎车间的机械操作等作业，均在山脚下的中控室里操作。

制造水泥的石灰石和其他材料，在大自然中有丰富的储藏量，主要蕴含在地表的岩石和土层中。因此，世界上许多国家都可以生产水泥。

生产水泥的工厂，需要很多热量，所以将我们生活中和工厂里排出的大量垃圾作为燃料使用。水泥厂也可以说是一座有效回收利用社会垃圾的大工厂。

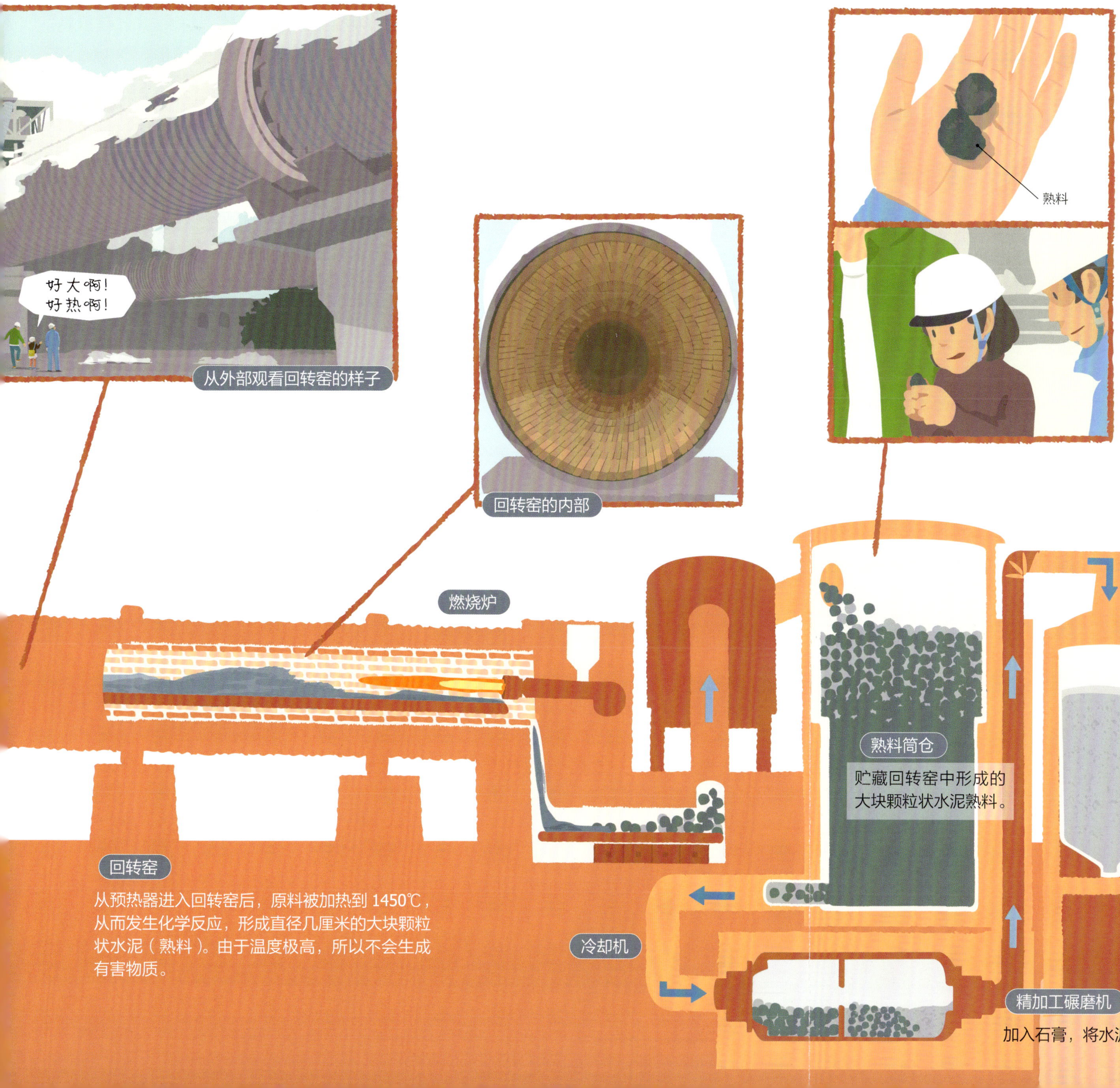

很多水泥厂都建在杂质少、质量高的石灰石山附近。

混凝土也有缺点。混凝土的自重大，但是抗拉强度不够高，很容易开裂。因此，混凝土里面需要加入抗拉强度高的钢筋，这样的混凝土叫钢筋混凝土。

钢筋暴露到外面容易生锈，但因为受到混凝土的保护，所以持久耐用。钢筋与混凝土互相配合，共同努力。

混凝土里面有很多钢筋。

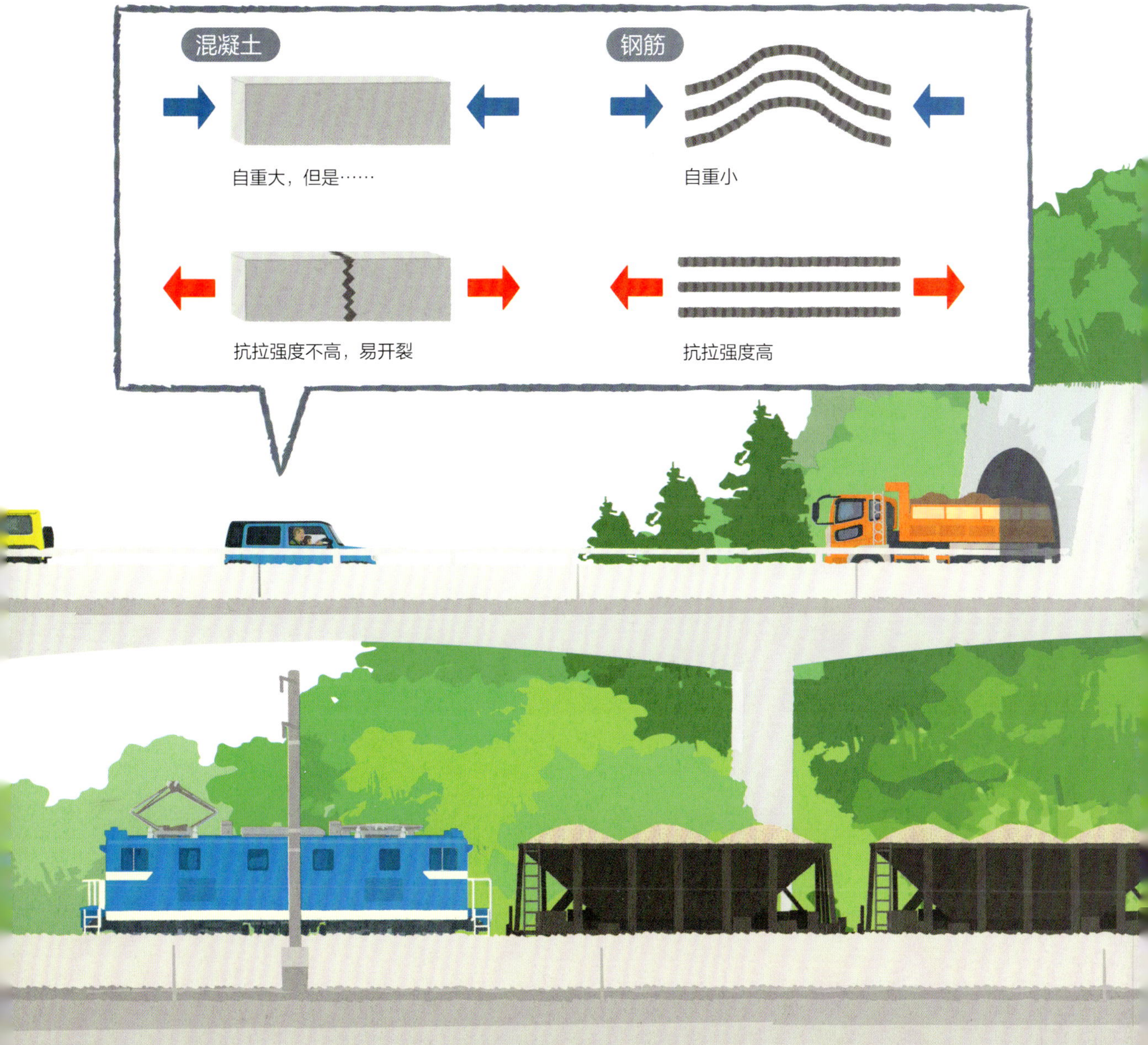

到了 20 世纪中期，即使受到拉伸也不易开裂的混凝土被发明出来。这种混凝土会被预先施加压力，这样，稍稍被拉一下也不会开裂了。

如今，公路与铁路的桥梁基本上都是使用抗拉强度高的混凝土建造的。有了这一发明，建筑和桥梁的形状变得更加多样化。大型建筑与长桥都可以建造了。

混凝土由工地现场的工人们振捣密实后，变得美观、持久、坚固。但是，要想在钢筋密集的地方浇筑混凝土并振实，是件非常不容易的事情。

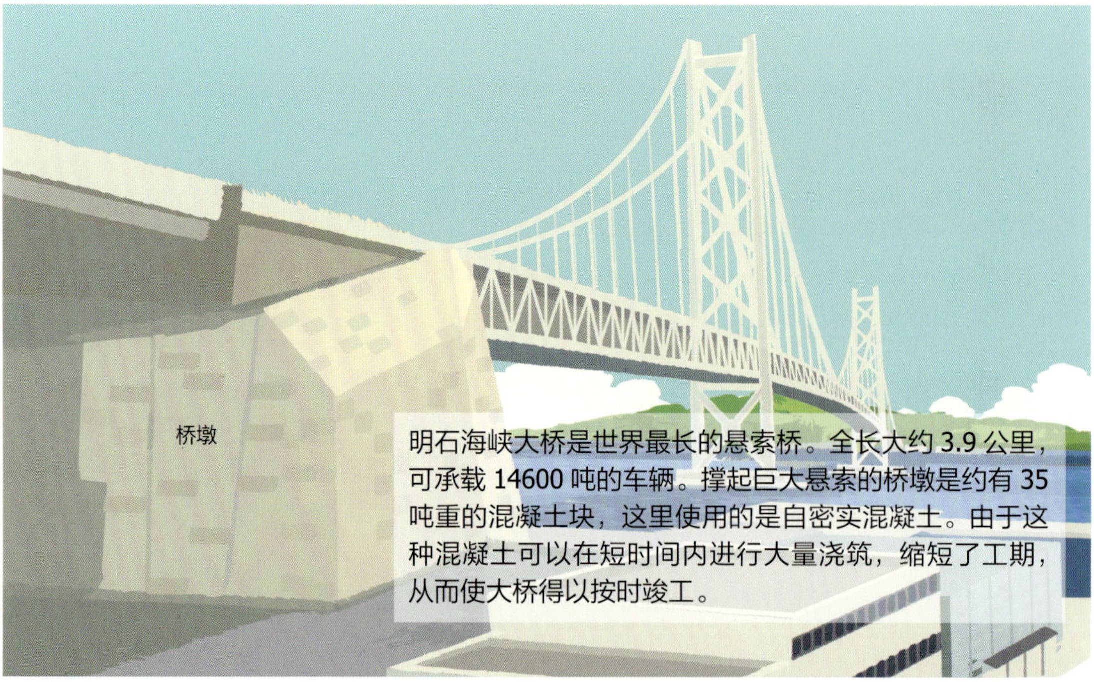

明石海峡大桥是世界最长的悬索桥。全长大约 3.9 公里，可承载 14600 吨的车辆。撑起巨大悬索的桥墩是约有 35 吨重的混凝土块，这里使用的是自密实混凝土。由于这种混凝土可以在短时间内进行大量浇筑，缩短了工期，从而使大桥得以按时竣工。

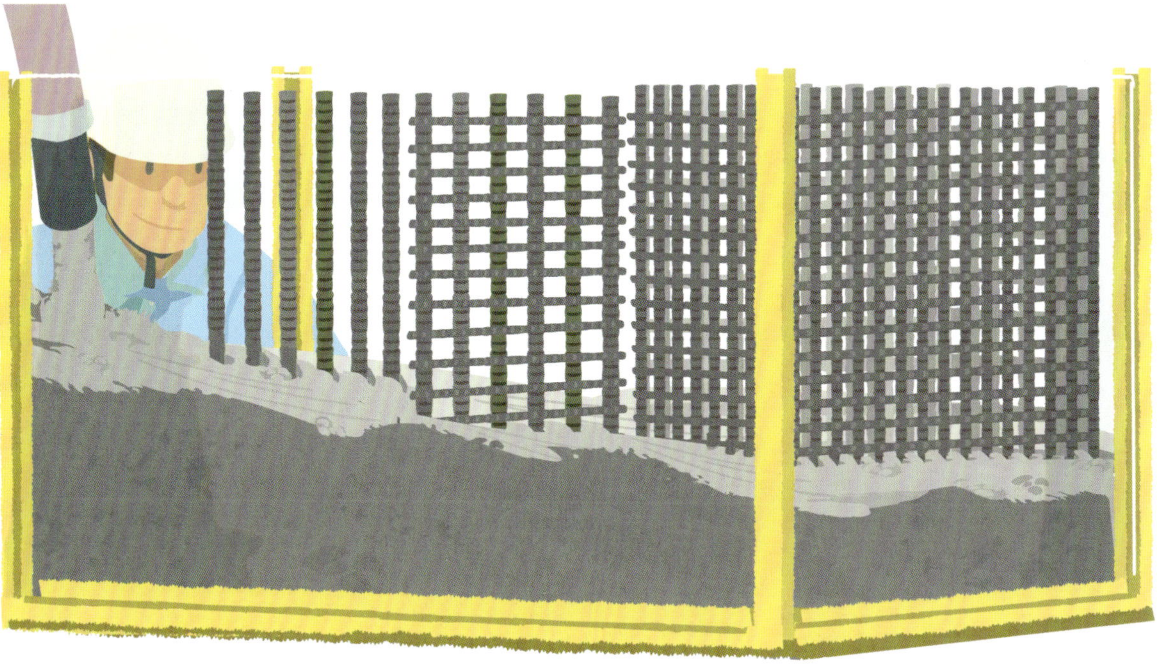

于是，日本研发出一种混凝土，它可以不借助人力，就能通过无数的钢筋，填满模板的每个缝隙。这种混凝土就是自密实混凝土。

这是一种非常柔软、易于流动的混凝土，有黏性，但又不会稀稀拉拉，可避免浆体与骨料相互分离。为了制造这种特殊的混凝土，水泥等粉料的量要比水更多，而且还要加入特殊的化学外加剂。

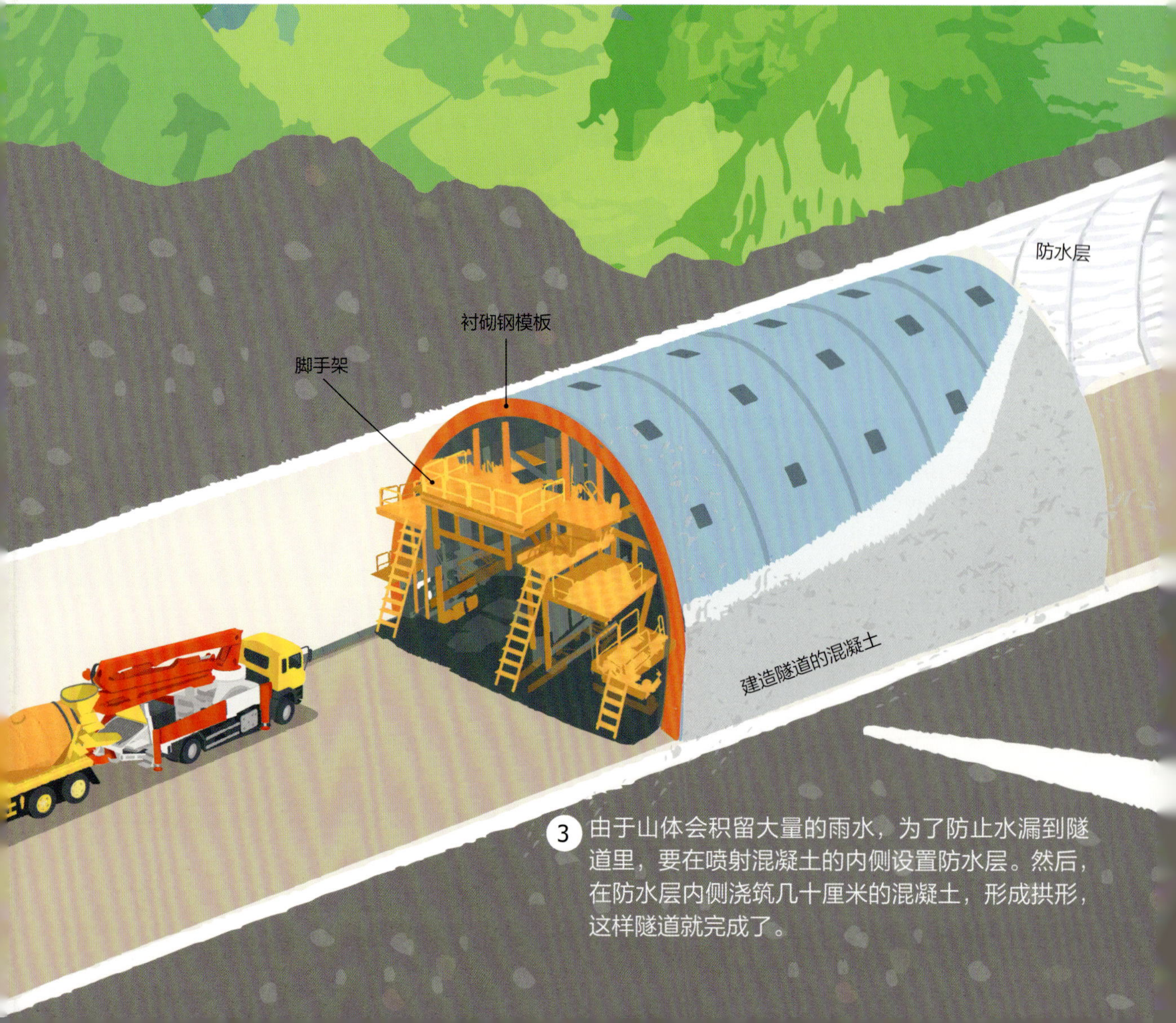

3 由于山体会积留大量的雨水，为了防止水漏到隧道里，要在喷射混凝土的内侧设置防水层。然后，在防水层内侧浇筑几十厘米的混凝土，形成拱形，这样隧道就完成了。

隧道也是采用混凝土制造的。一些山体很容易滑坡，所以，用浆状炸药爆破山体，用机械挖掘时，为了防止滑坡，必须立即加固。为此，要使用喷射混凝土。

1 使用浆状炸药爆破的山体表面很容易滑坡，要立即使用喷射混凝土加固山体的表面。

2 在用钢拱架和喷射混凝土加固的山体表面开一些洞，插入一种叫锚杆的长铁棍，再在洞与铁棍的缝隙里面注入混凝土进一步加固。就这样，一边加固容易滑坡的山体，一边挖掘。

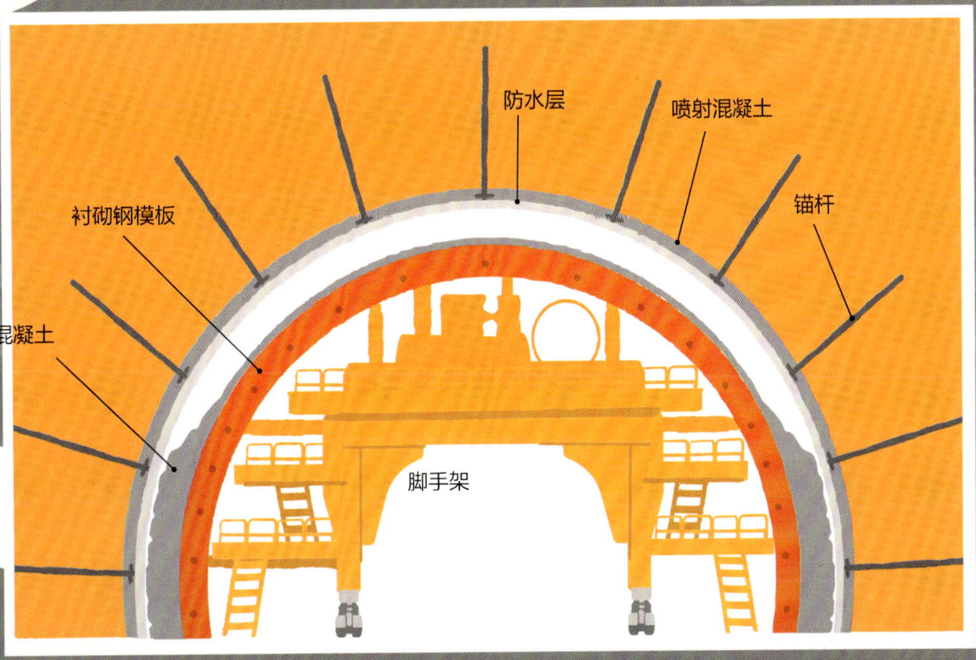

喷射混凝土是在混凝土中加入了一种叫速凝剂的化学外加剂，它们混合后立刻喷射便可马上凝固。用喷射器将这种混凝土喷到刚刚挖掘的山体表面后，它能瞬间凝固在上面，起到加固的作用。

水库是大量储藏水的地方。水库有各种用途。它像一个大水缸，可以储藏千家万户使用的家庭用水；也可以防止下大雨时河流下游发生洪水，起到防御灾害的截流作用。储藏的水还可以用来发电或用于工农业生产。

除了混凝土建造的水库之外，
还有堆积岩石和土建造的水库。

建造水库的方法有好几种。其中最常用的一种方法是用混凝土大坝控制水流的力量。由于水库中水资源的储藏量巨大，具有可以摧毁水库的力量（水压），因此要用混凝土的重量顶住这一力量。

这座大水库是用薄薄的混凝土一层层水平堆积而成的。采用的是一种特殊的混凝土。

这种水库用的混凝土骨料的量特别大，是一种非常粗糙坚硬的混凝土，大楼的工地现场经常采用。与黏稠的普通混凝土不同，它完全不会流淌。

这种混凝土要用水库施工现场专门制造的搅拌机搅拌好，用翻斗车或吊车运输，再利用振动碾滚轮的强烈振动将混凝土摊平，铺得平平整整后，翻斗车可以立刻从上面驶过。

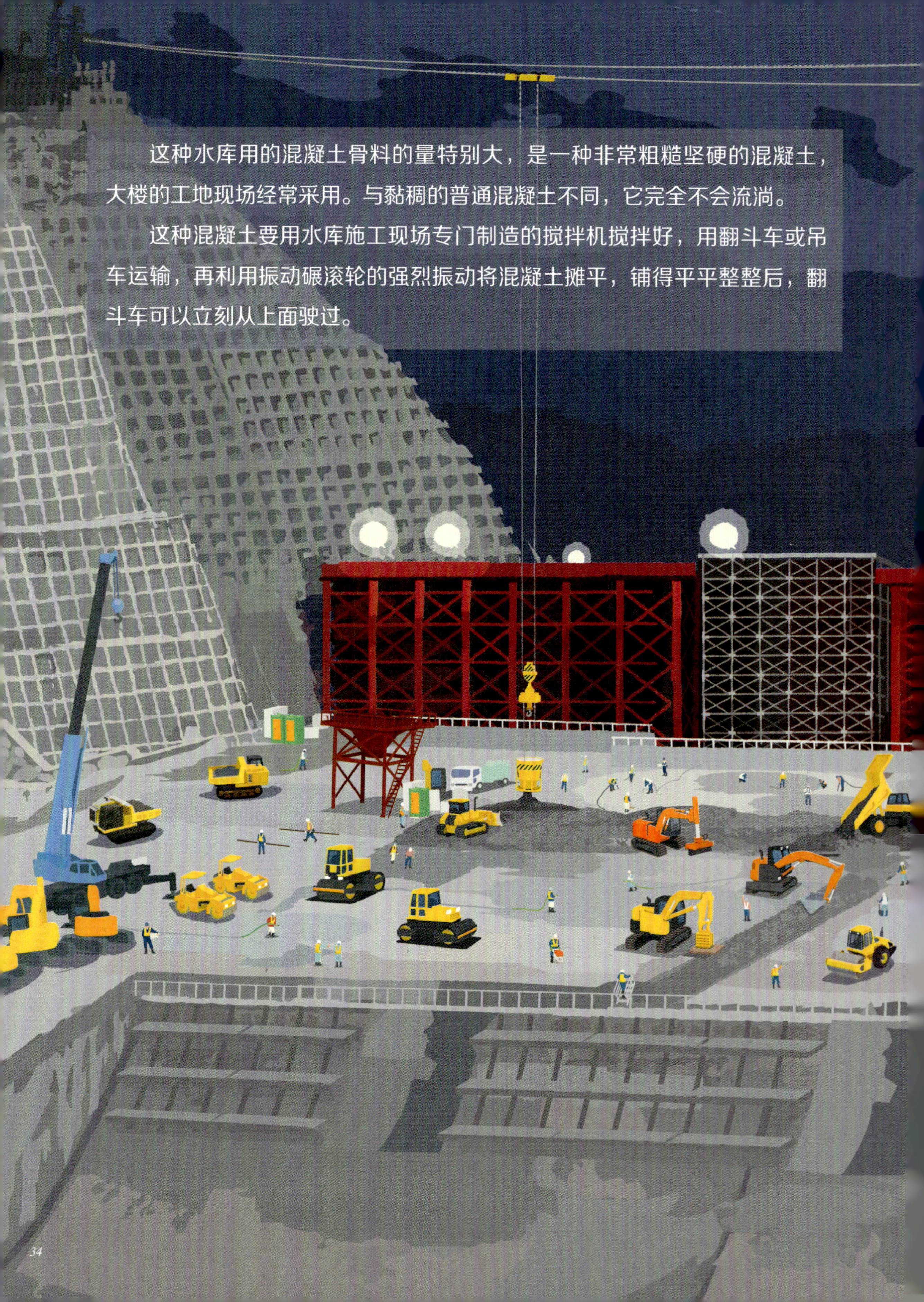

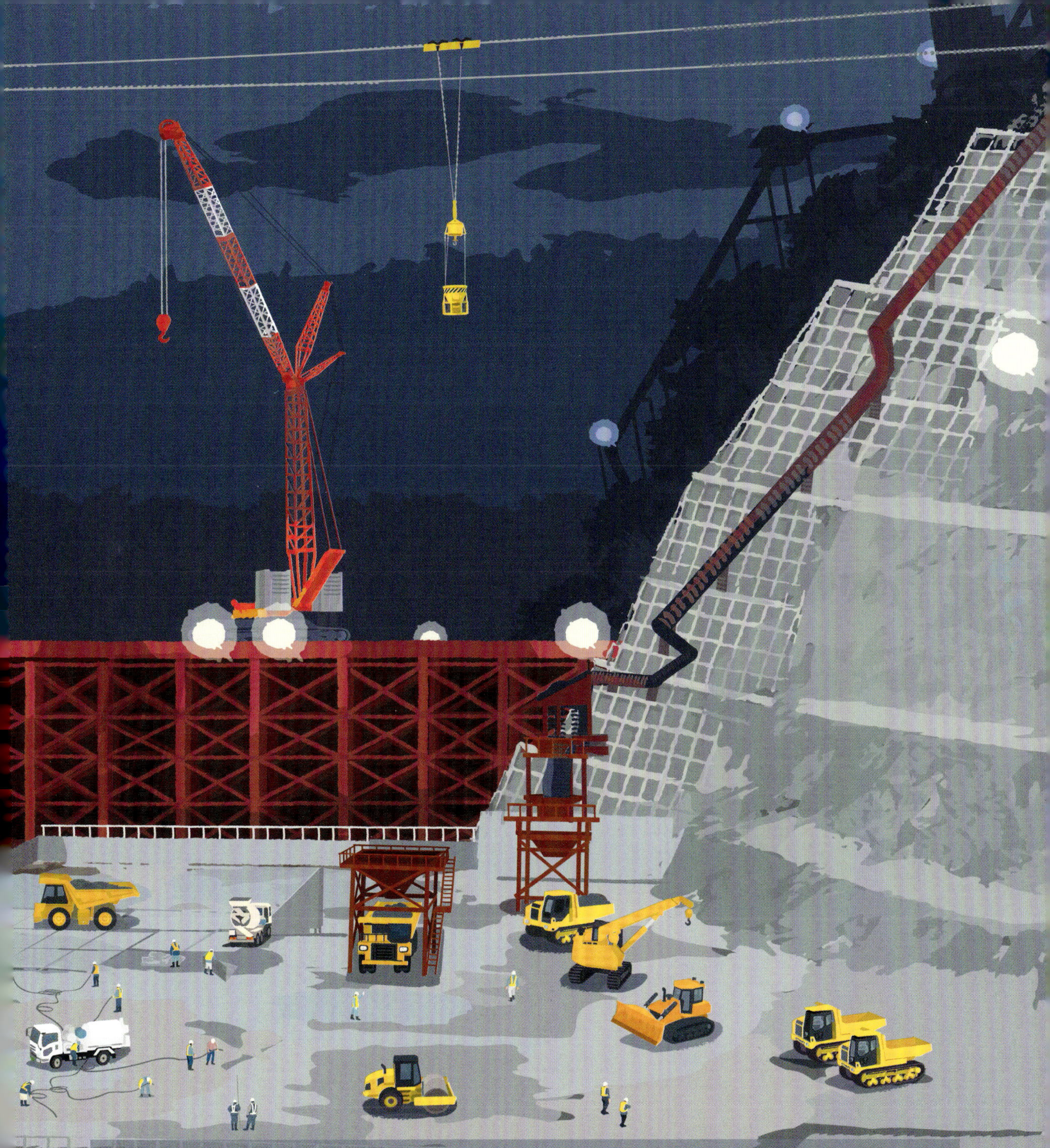

对于一般的混凝土，如果刚铺平就有车辆驶过，表面会陷出很大的坑，要重新铺设。但是，采用这种混凝土，重型机械可以马上在上面行驶，迅速形成完美的混凝土层。在牢固地压实后，这种混凝土变得十分致密，因此可以建造出不易漏水的水库。

混凝土建造了很多大型建筑物。这些支撑我们生活的建筑叫基本建设，简称“基建”。

水库也是一种基本建设。除了学校、住宅、道路、铁路、港湾等，为农业、自来水、煤气、电气建立的设施也均属于基本建设。

如果没有基建，我们的生活会完全改变。尤其是住在大都市的人们，几乎无法生存。我们从古代起，就花费了很长时间完善基建，希望获得更方便，更安全的生活。

但是，基建也有破坏环境的一面。我们受基建支配的生活如何与自然共存，是越来越值得思考的问题。

支撑我们现代生活的混凝土，原来在很早以前的古代就已经被使用了。从2000多年前的罗马和5000多年前的中国的古迹中，我们发现了混凝土。在古代，人们把石灰石燃烧粉碎后，与火山灰混合搅拌，用来做水泥使用。

万神殿

公元前27年建造的神殿，公元2世纪由罗马帝国的哈德良修建成现今的样子，现在仍在使用。采用混凝土建成。

建造穹顶时，越往上使用的混凝土越轻。
穹顶中央洒落的光线好美啊！

勒兰西圣母教堂（1923 年，法国）

刚开始使用钢筋混凝土时的建筑。钢筋混凝土的柱子虽然很细，但结实牢固，因此可以制造出宽敞的空间，墙壁上可以建造许多硕大的窗户。设计师用这座阳光充分照射的明亮建筑，力图向人们展示新兴技术的魅力。

架设在瑞士东部险峻峡谷上的一座十分修长的桥梁。工程师向世界展示了如何巧妙地运用钢筋混凝土，创造出如此美丽的造型。

萨尔基那山谷桥（1930 年，瑞士）

国立西洋美术馆
（1959 年，日本）

西恩塔（加拿大国家电视塔）
（1976 年，加拿大）

古代的混凝土，到了罗马帝国灭亡后就基本上不再使用了。假如回到大约 150 年前的世界，几乎见不到使用混凝土的建筑。但是，由于工业革命和技术的进步，1850 年前后开始大量生产钢铁和水泥。正值此时，钢铁与混凝土结合的钢筋混凝土被发明出来，于是，各种造型的建筑不断地诞生了。

悉尼歌剧院
（1973 年，澳大利亚）

尼泰罗伊当代艺术博物馆（1996 年，巴西）

① 被地震破坏的铁路高架桥

1995 年阪神大地震，许多混凝土高架桥都遭到了严重破坏。

② 加固施工中

在钢筋混凝土的柱子外部安装钢筋。这样的加固工程在日本各地仍在施工中。

③ 加固工程完工

这样加固后的高架桥，在 2011 年的日本大地震时也没有倒塌。

学校的建筑物也有许多经过了加固（钢铁构架成 V 字的地方）。

使用了钢筋混凝土的建筑物，可以防震防火，还可以防噪声。因此，过去大多是木造建筑，而现在钢筋混凝土建筑比比皆是。

在以前的大地震中，也有许多混凝土建筑遭受了破坏。但每次工程师们都会进一步改良出能抗强震的建造方法。此外，混凝土基础设施一般都会长期使用，所以，为使过去建造的基础设施能够抗震，加固工程也在逐步开展。

即使不被地震破坏，混凝土里面的钢筋受到腐蚀后，建筑也会毁坏。用人来比喻的话，就像是骨头溶解了一样。在沿海地区或山沟的道路上，有时会为防冻撒盐，如果混凝土的质量不好，盐分和水分由外界侵入，里面的钢筋就很容易被腐蚀。

保护钢筋的混凝土，就如同保护骨头的皮肤和肌肉，在零摄氏度以下的寒冷地区，也会变得遍体鳞伤。混凝土里面仅含的一点点水分时而冻结，时而融化，这样反反复复，钢筋便会逐渐出现裂缝等劣化情况。

混凝土即使在很严酷的环境下，也完全可以保持 100 年以上的寿命。为此，使用高质量的材料精心建造，平时多注意检查有无损伤，经常维修强化是十分重要的。

建造现代基础设施，混凝土是非常重要的材料。不过，生产水泥、骨料，混合、运输混凝土，建造、维修、拆除建筑物，所有这些，都需要使用大量的能源和资源。

作为建造基础设施的材料，有土、石头、砖瓦、木材、钢铁等这些自古以来就被使用的“老前辈”。从人类漫长的历史来看，作为工业产品的混凝土，还是一名初出茅庐的“年轻选手”。不过，年轻也就说明还在不断进化着。

比现在最普通的建筑所采用的混凝土的抗拉强度强几十倍的混凝土，也已研发出来了。使用环保材料在严酷的环境下也能持久耐用的混凝土，裂缝会自然愈合的混凝土，可以自由掌控凝结时间的混凝土，可以从拆除建筑物的混凝土中回收骨料再利用的再生骨料混凝土……今天人们也在对混凝土开展着各种各样的研究。

我会努力
研究的!

在制作这本书的时候，承蒙以下各位的关照，非常感谢。
石田哲也（东京大学研究生院工学系研究科）
川本悠纪子（名古屋大学研究生院人文学研究科）

采访合作方：
鹿岛建设株式会社
埼玉太平洋现浇混凝土株式会社
太平洋水泥株式会社
西松建设株式会社

细田晓

1973年出生。东京大学工学部土木工学科毕业后，进研究生院攻读博士课程，获得博士学位。曾负责过JR东日本混凝土建筑的实际业务，后赴任横滨国立大学，专研混凝土。本书中的女孩以其二女儿为原型。

小轮瀬护安

1976年出生。东北艺术工科大学艺术学部油画专业毕业。其作品在2012、2013年连续入选意大利博洛尼亚国际绘本原画展。绘本作品有《开的是什么车呢？》《手扶电梯与升降电梯》《直升机起飞了！》《前面和后面都是什么车？》等。